BRUNO und ICH

2

Deutsch für Kinder

Cornelsen

BRUNO und ICH | Deutsch für Kinder

Redaktion: Maria Funk
Bildredaktion: Franziska Becker

Illustrationen sowie Puppe und Fotos „Bruno": Lidia Głażewska-Dańko, Józefów,

Layoutkonzept: Heike Börner orangerie-berlin, Berlin
Technische Umsetzung: zweiband.media, Berlin
Umschlaggestaltung: LemmeDESIGN, Berlin

www.cornelsen.de

Soweit in diesem Buch Personen fotografisch abgebildet sind und ihnen von der Redaktion Namen, Berufe, Dialoge und Ähnliches zugeordnet oder diese Personen in bestimmten Situationen dargestellt werden, sind diese Zuordnungen und Darstellungen fiktiv und dienen ausschließlich der Veranschaulichung und dem besseren Verständnis des Buchinhalts.

1. Auflage, 1. Druck 2018
Alle Drucke dieser Auflage sind inhaltlich unverändert
und können im Unterricht nebeneinander verwendet werden.

© 2018 Cornelsen Verlag GmbH, Berlin

© PWN Wydawnictwo Szkolne sp. z o.o. sp.k., 2017

„ich und du neu 2" von Marta Kozubska, Ewa Krawczyk, Lucyna Zaştapiło
Redaktion: Teresa Stępniowska, Monika Mosakowska
Technische Redaktion: Maryla Broda

Druck: Athesiadruck GmbH

ISBN: 978-3-06-120793-9 (Schülerbuch)
ISBN: 978-3-06-120896-7 (E-Book)

PEFC zertifiziert
Dieses Produkt stammt aus nachhaltig
bewirtschafteten Wäldern und kontrollierten
Quellen.

www.pefc.de

PEFC/18-31-166

Deutsch lernen mit Bruno, dem Bären

BRUNO und ICH richtet sich an Kinder zwischen sechs und acht Jahren (1. – 3. Klasse), die Deutsch als erste Fremdsprache lernen und zum ersten Mal mit einer neuen Sprache in Kontakt kommen. Auf spielerische Weise vermittelt das Lehrwerk wesentliche sprachliche Strukturen und führt kommunikativ und kindgerecht an den Wortschatz heran.
Mit Reimen, Gedichten, Liedern und Lernspielen trainieren die Kinder ganz unbefangen wichtige Redemittel, lernen die richtige Aussprache und üben ihr Hörverstehen.

Das **Schülerbuch** hat 10 kurze Einheiten, die einen schnellen Lernerfolg ermöglichen.

Das **Arbeitsbuch** orientiert sich strukturell und konzeptionell am Schülerbuch und hilft mit einfachen Übungen, das Gelernte umzusetzen und zu festigen.

Die **Audios** stehen wahlweise als MP3-Dateien (als Download) oder auf CD zur Verfügung.

Die **Handreichungen zum Unterricht** (als Download) enthalten viele Tipps und Anregungen, die Ihnen helfen, Deutsch besonders kindgerecht zu vermitteln.

Unter **www.cornelsen.de/daf-schule** gibt es für die Arbeit mit BRUNO und ICH Zusatzmaterialien, Übungen, ein Portfolio und didaktische Tipps.

Die Lehrwerksfigur **Bruno** begleitet die Kinder von Anfang an auf ihren Schritten in die neue Sprachwelt.

Wir wünschen Ihnen viel Freude und Erfolg im Unterricht mit Bruno und ICH!

Inhaltsverzeichnis

 ② Hör zu.

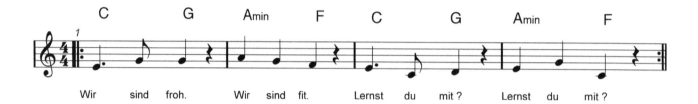

Wir sind froh. Wir sind fit. Lernst du mit? Lernst du mit?

1 Mein erster Schultag

Meine Schultüte

   Hör zu.

eine Schere · ein Heft · ein Bleistift · eine Federtasche · ein Kuli

ein Lineal · Bonbons · eine Schokolade · ein Kaugummi

Was ist denn das?

eine Zuckertüte

ein Radiergummi

      Hör zu und sprich nach.

 der Kuli
 das Lineal
 der Bleistift
 die Bonbons
 die Schere
 das Heft

 die Schokolade
 die Federtasche
 der Kaugummi
 der Radiergummi
 die Zuckertüte

 Wanderspiel
Schokolade, Schokolade, du musst wandern,
von dem einen zu dem andern.

Rollenspiele

    Hör zu und spiel nach.

 Hör zu und spiel nach.

Meine Schule

 Hör zu und lies mit.

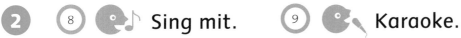 Sing mit. Karaoke.

In die Schule geh' ich gerne,
rechnen, malen will ich lernen.
Meine Güte, meine Güte!
Wo ist meine Zuckertüte?
In der Schule schreib' ich Sätze,
lerne Zahlen, löse Rätsel.
Meine Güte, meine Güte!
Wo ist meine Zuckertüte?

Hörtext

Hör zu und zeige, was Nora in ihrem Schulranzen hat.

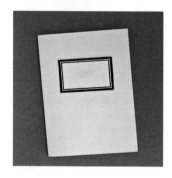 

Bruno-Projekt

Projekt 1
In meinem Schulranzen sind:
ein Kuli, eine Schere, …

Wohin gehen die Kinder?

1 11 🎧 Hör zu.

2 12 🎧 🐵 ✏️ Hör zu und sprich nach.

Ich gehe in den Park.

Ich gehe zu Anna.

Ich gehe in den Zoo.

Ich gehe ins Kino.

Ich gehe auf den Sportplatz.

Ich gehe in den Zirkus.

Ich gehe in die Schule.

 **Stille Post.**
Ich gehe *in die Schule.*

Rollenspiele

    Hör zu und spiel nach.

Wohin gehst du denn?

Zu Anna.

Viel Spaß!

    Hör zu und spiel nach.

Gehen wir auf den Spielplatz?

Gern. Nimm dein Springseil mit!

Mache ich.

Heute ist ein schöner Tag

1  Hör zu und lies mit.

2 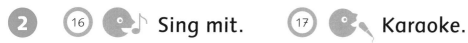 Sing mit. Karaoke.

Heute ist ein schöner Tag, an dem ich singen kann.
Heute ist ein schöner Tag, an dem ich singen kann.

Ist das nicht ein Tag, an dem ich froh **sein** kann?
Ja, das ist ein Tag, an dem ich froh sein kann.

Hörtext

Wohin geht Anna, wohin geht Paul?
Hör zu und ordne die Wegweiser zu.

Bruno-Projekt

Projekt 2
Ich gehe …

Ich bin so müde …

1 (19) 😊 Hör zu.

2 (20) 😊 🐵 ✏️ Hör zu und sprich nach.

Spring Seil!

Kletter!

Wirf den Ball!

Spiel Tischtennis!

Lauf!

Turne!

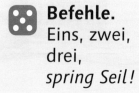
Befehle.
Eins, zwei,
drei,
spring Seil!

Rollenspiele

1 21  Hör zu und spiel nach.

2 22 Hör zu und spiel nach.

Wenn du Lust hast ...

   Hör zu und lies mit.   Sing mit.

  Karaoke.

Wenn du Lust hast, spring heute Seil,
wenn du Lust hast, spring heute Seil,
wenn du Lust hast, spring, he, he spring,
wenn du Lust hast, spring heute Seil.

Wenn du Lust hast, spiel heute Ball,
wenn du Lust hast, spiel heute Ball,
wenn du Lust hast, spiel, he, he spiel,
wenn du Lust hast, spiel heute Ball.

Wenn du Lust hast, trink heute Saft,
wenn du Lust hast, trink heute Saft,
wenn du Lust hast, trink, he, he trink,
wenn du Lust hast, trink heute Saft.

Wenn du Lust hast, ruf „Wer ist das?"
wenn du Lust hast, ruf „Wer ist das?"
wenn du Lust hast, ruf, he, he ruf,
wenn du Lust hast, ruf „Wer ist das?"

Hörtext

Hör zu und sag, was Nele und Amelie machen wollen.

Bruno-Projekt

Projekt 3
Kletter!

4 Mein Bein tut mir weh

Lukas, was tut dir weh?

1   Hör zu.

mein Auge

mein Kopf

mein Ohr

meine Nase

mein Finger

meine Hand

mein Bein

mein Fuß

2   Hör zu und sprich nach.

der Kopf	das Ohr	das Auge	die Nase	der Mund	der Finger

	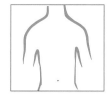		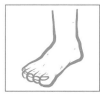	
die Hand	der Bauch	das Bein	der Fuß	

Falsch zeigen
Das ist *mein Bein*.
Nein, das ist *dein Kopf*.

Rollenspiele

1 29  Hör zu und spiel nach.

2 30 Hör zu und spiel nach.

Tanz mit mir!

1 31 🎧 🎁 Hör zu und lies mit. **2** 32 🎵 Sing mit.

33 🎤 Karaoke.

Komm und tanz mit mir,
beide Hände reich ich dir.
Einmal hin, einmal her,
rundherum, das ist nicht schwer.

Mit den Händen klapp, klapp, klapp.
Mit den Füßen trapp, trapp, trapp.
Einmal hin, einmal her,
rundherum, das ist nicht schwer.

Mit dem Köpfchen nick, nick, nick.
Mit den Fingern schnipp, schnipp, schnipp.
Einmal hin, einmal her,
rundherum, das ist nicht schwer.

Hörtext

Hör zu und suche Brunos Körperteile im Bällebad.

Bruno-Projekt

Projekt 4
Das ist die Hand / der Fuß von ...

5 Bruno zieht sich an

Wo ist meine Hose?

1 (35) Hör zu.

mein Hemd · meine Weste · mein Rock · meine Mütze · meine Bluse · meine Schuhe · meine Jacke · mein Kleid · meine Hose

2 (36)   ✎ Hör zu und sprich nach.

der Mantel

das Hemd

das Kleid

die Weste

der Rock

die Mütze

die Schuhe

die Hose

die Bluse

die Jacke

das T-Shirt

 Blinde Kuh
● In meinem Sack raschelt was. Rate, rate, was ist das?
○ Das ist *die Hose*.

Rollenspiele

   Hör zu und spiel nach.

Zieh deine Jacke an!

Ja, Mama.

 Hör zu und spiel nach.

Was ziehst du heute an?

Das grüne T-Shirt.

Der Hampelmann

1 (39) 🎧 📖 Hör zu und lies mit.

2 (40) 🎵 Sing mit. (41) 🎤 Karaoke.

Jetzt zieht Hampelmann,
jetzt zieht Hampelmann,
die grüne Hose an, die grüne Hose an.

Ei, du, mein Hampelmann,
mein Hampelmann,
mein Hampelmann.
Ei, du, mein Hampelmann,
mein Hampelmann bist du.

die blaue Weste

das rote T-Shirt

die schwarzen Schuhe

die gelbe Mütze

Hörtext

1 (42)

Sag mir, welche Farbe Laras Lieblingskleidung hat.
Hör zu und überprüfe deine Antwort.

Bruno-Projekt

Projekt 5
Das ist ...

6 Bruno auf dem Markt

Bruno kauft ein

1 (43) 🎧 ✏️ Hör zu.

eine Karotte

Petersilie

ein Paprika

eine Kartoffel

eine Zwiebel

eine Gurke

eine Tomate

2 (44) 🎧 🐵 Hör zu und sprich nach.

Karotten	Gurken	Petersilie	Paprika	Zwiebeln
Kartoffeln	Orangen	Tomaten	Kirschen	Äpfel

Wie bitte?
- Ich möchte *Zwiebeln.*
- Wie bitte?
- *Zwiebeln.*

Birnen	Trauben	Bananen

Rollenspiele

1   Hör zu und spiel nach.

Lukas, möchtest du eine Banane?

Nein, lieber einen Apfel.

2  Hör zu und spiel nach.

Was möchtest du?

Tomaten.

Wie viel?

Ein halbes Kilo.

Das kostet 2 Euro.

Obst und Gemüse

1   Hör zu und lies mit.

Ich möchte ein Pfund Petersilie
für meine ganze Familie.

Ich möchte Zwiebeln, Tomaten
für meinen lieben Vater.

Ich möchte Äpfel und Pflaumen
für meine gute Laune.

Ich möchte Gurken, Karotten
für meine Tante Charlotte.

Hörtext

Hör zu. Welcher Preis ist richtig: a, b oder c?

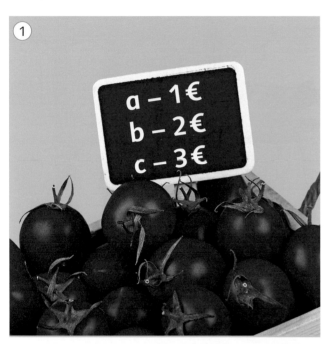

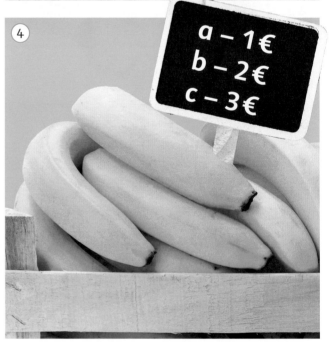

Bruno-Projekt

Projekt 6
Ich möchte ...

Mein Einkaufszettel

1 (49) Hör zu.

ein Brot

ein Stück Butter

Marmelade

ein Stück Käse

ein Pfund Wurst

eine Flasche Cola

Milch

Saft

ein Apfelkuchen

2 (50)   Hör zu und sprich nach.

das Brot

die Butter

die Marmelade

der Apfelkuchen

der Saft

die Wurst

die Milch

die Cola

der Käse

der Lutscher

 Echoübung
Butter, Butter, wo bist du?

Rollenspiele

    Hör zu und spiel nach.

    Hör zu und spiel nach.

Im Laden

1   Hör zu und lies mit.

2   Sing mit.   Karaoke.

Ich gehe in den Laden
und kaufe Marmelade.
Ich kaufe Brot und Schinken,
Wasser und Saft zum Trinken.

Im Laden, im Laden ist alles zu haben.
Im Laden, im Laden ist alles zu haben.

Ich gehe ohne Mutter
und kaufe ein Stück Butter.
Ich kaufe Lutscher, Kuchen,
Tomaten muss ich suchen.

Im Laden, im Laden ist alles zu haben.
Im Laden, im Laden ist alles zu haben.

Hörtext

Hör zu und zeige, was Tim zum Frühstück gegessen hat.

Bruno-Projekt

Projekt 7
Ich kaufe …

Wir backen

1 (57) 🎧 ✏️ Hör zu.

das Salz der Pfeffer der Zucker das Ei der Honig

das Mehl

die Butter

2 (58) 🎧 🗣️ Hör zu und sprich nach.

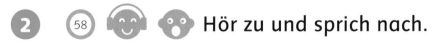
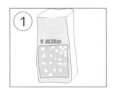

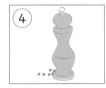

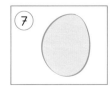

🎲 **Wir riechen und schmecken.**
Das ist *Salz*.

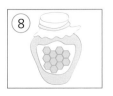

Rollenspiele

    Hör zu und spiel nach.

Ida, gib mir bitte das Mehl!

Bitte, Mama!

Max, gib mir bitte den Zucker!

Mama, wo ist der Zucker?

2 60 Hör zu und spiel nach.

Schmeckt dir mein Kuchen?

Ja, lecker.

Und wie findest du die Torte?

Fantastisch!

Backen macht Spaß

1   Hör zu und lies mit.   **2**   Sing mit.

 Karaoke.

Kuchen, Torte will ich backen,
dazu brauch' ich viele Sachen,

Backen macht Spaß,
wie toll ist das!

Marmelade, Eier, Butter,
ein Glas Honig, Mehl und Zucker.

Backen macht Spaß,
wie toll ist das!

Alles tu' ich in die Pfanne,
und zum Schluss ein bisschen Sahne.

Backen macht Spaß,
wie toll ist das!

Hörtext

1 (64) 😊 😮

Hör zu und zeige, welche Zutaten Luise zum Backen braucht.

Bruno-Projekt

Projekt 8
Kuchen, Torte will
ich backen ...

9 Bruno hat Besuch

Wer ist denn da?

1   Hör zu.

der Kanarienvogel

der Hund

das Pferd

das Kaninchen

die Katze

die Ratte

der Fisch

die Maus

der Papagei

der Hamster

die Schildkröte

2   Hör zu und sprich nach.

① ② ③  ④ ⑤ ⑥ ⑦

Buchstabenspiel
- Ich habe ein Tier mit *K*.
- Das ist die *Katze*.

⑧ ⑨ ⑩ ⑪

Rollenspiele

1   Hör zu und spiel nach.

2   Hör zu und spiel nach.

Tiere in meiner Familie

1  Hör zu und lies mit.

2 70 Sing mit.   71 Karaoke.

Onkel Hans hat eine Gans.
Opa Gerd hat ein Pferd.

Und ich habe einen Hund,
der heißt Bello und ist rund.

Mein Freund Klaus hat eine Maus.
Tante Renate hat eine Ratte.

Und ich habe einen Hund,
der heißt Bello und ist rund.

Frau Weratze hat eine Katze,
und Herr Wein hat ein Schwein.

Und ich habe einen Hund,
der heißt Bello und ist rund.

Hörtext

1 72

Hör zu und sage, welche Haustiere Lara, Lukas und Anna haben.

Lara

Lukas

Anna

Bruno-Projekt

Projekt 9
Mein Hund heißt ...

10 Im Zoo

Alle da?

1 (73) 🎧 ✏️ Hör zu.

die Giraffe

der Pinguin

das Zebra

der Elefant

der Eisbär

das Kamel

der Affe

der Löwe

der Tiger

das Känguru

das Krokodil

die Robbe

2 (74) 🎧 🐵 Hör zu und sprich nach.

 Tiere im Zoo
- 🔴 Wie heißt das Tier?
- ⚪ *Die Giraffe.*

Rollenspiele

1   Hör zu und spiel nach.

2   Hör zu und spiel nach.

Das Krokodil

   Hör zu und lies mit.   Sing mit.

  Karaoke.

Das Krokodil, dil, dil
das schwimmt im Nil, Nil, Nil.

Es hält sein Maul, Maul, Maul,
denn es ist faul, faul, faul.

Das Krokodil, dil, dil
das schwimmt im Nil, Nil, Nil.

Ich sag es dir, dir, dir,
bleib lieber hier, hier, hier.

Hörtext

Hör zu und zeige die Tiere, die Lea im Zoo gesehen hat.

Bruno-Projekt

Projekt 10
Ich bin ...

Wir spielen ...

Wir suchen einen Mann für unsere Prinzessin

81 Hör zu.

Kanzler:	Prinzessin Fröschi sucht einen Mann! Kommt alle her!
Elefant:	Guten Tag!
König:	Guten Tag, wer bist du?
Elefant:	Ich bin der Elefant. Ich bin groß und stark.
Königin:	Was kannst du gut?
Elefant:	Ich kann Bäume tragen.
Prinzessin:	Ich will dich nicht.

Papagei:	Hallo!
König:	Hallo, wer bist du?
Papagei:	Ich bin der Papagei.
	Ich bin bunt und klug.
Königin:	Was kannst du gut?
Papagei:	Ich kann schön sprechen.
Prinzessin:	Ich will dich nicht.

Zebra:	Guten Tag!
König:	Guten Tag, wer bist du?
Zebra:	Ich bin das Zebra.
	Ich bin schwarz-weiß.
Königin:	Was kannst du gut?
Zebra:	Ich kann schnell laufen.
Prinzessin:	Ich will dich nicht.

Eisbär: Hallo!
König: Hallo, wer bist du?
Eisbär: Ich bin der Eisbär,
ich bin weiß und stark.
König: Was kannst du gut?
Eisbär: Ich kann angeln.
Prinzessin: Ich will dich nicht.

Giraffe: Hallo!
König: Hallo, wer bist du?
Giraffe: Ich bin die Giraffe.
              Ich bin groß und stolz.
Königin: Was kannst du gut?
Giraffe: Ich kann Ball spielen.
Prinzessin: Ich will dich nicht.

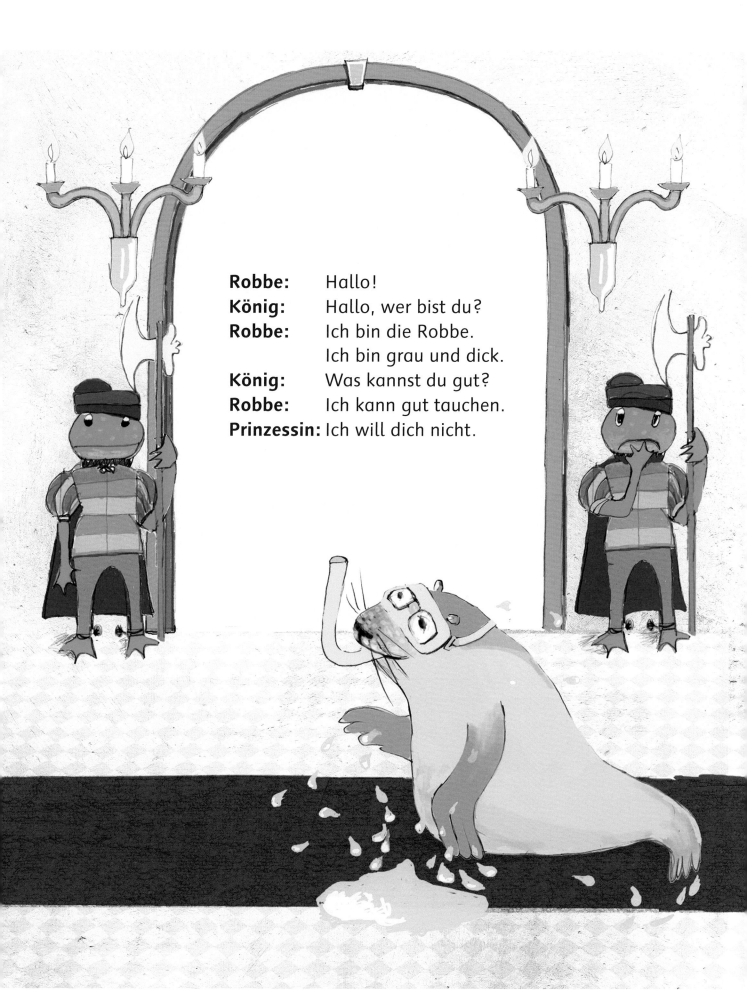

Robbe: Hallo!

König: Hallo, wer bist du?

Robbe: Ich bin die Robbe.
Ich bin grau und dick.

König: Was kannst du gut?

Robbe: Ich kann gut tauchen.

Prinzessin: Ich will dich nicht.

Kamel: Hallo!

König: Hallo, wer bist du?

Kamel: Ich bin das Kamel.
Ich bin braun und groß.

Königin: Was kannst du gut?

Kamel: Ich kann schnell rennen.

Prinzessin: Ich will dich nicht.

Affe: Hallo!

König: Hallo, wer bist du?

Affe: Ich bin der Affe.
Ich bin klein und lustig.

Königin: Was kannst du gut?

Affe: Ich kann klettern und
Bananen essen.

Prinzessin: Ich will dich nicht.

Ente: Guten Tag!

König: Guten Tag, wer bist du?

Ente: Ich bin die Ente.
Ich bin weiß und intelligent.

Königin: Was kannst du gut?

Ente: Ich kann stricken.

Prinzessin: Ich will dich nicht.

Krokodil: Hallo!
König: Hallo, wer bist du?
Krokodil: Ich bin das Krokodil.
Ich bin grün und lustig.
Königin: Was kannst du gut?
Krokodil: Ich kann gut schwimmen.
Prinzessin: Ich will dich nicht.

Frosch: Hallo!

König: Hallo, wer bist du?

Frosch: Ich bin der Frosch.
Ich bin klein und grün.

Königin: Was kannst du gut?

Frosch: Ich kann backen und
Pudding kochen.

Prinzessin: Komm zu mir.
Ich will dich heiraten.

Kanzler: So hat Prinzessin Fröschi
einen Mann gefunden.

Advent

    Hör zu und lies mit.

Advent, Advent,
ein Lichtlein brennt,
erst eins, dann zwei,
dann drei, dann vier.
Dann steht das Christkind
vor der Tür.

Weihnachten

1   Hör zu.

O Tannenbaum, o Tannenbaum,
wie grün sind deine Blätter.
Du grünst nicht nur zur Sommerzeit,
nein, auch im Winter, wenn es schneit.

O Tannenbaum, o Tannenbaum,
wie grün sind deine Blätter.

2 Sing mit.

85 Karaoke.

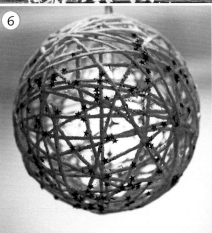

Wir schmücken den Weihnachtsbaum.

Ostern

1   Hör zu und lies mit.

Osterhas', Osterhas',
komm zu mir und bring mir was!
Schöne Sachen will ich sehen,
wenn ich in den Garten gehe.
Ostereier will ich finden,
für die netten, braven Kinder.

Wir schreiben Osterwünsche.

Bildlexikon

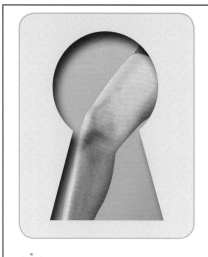

ein
das Bein

ein
der Kopf

ein
der Fuß

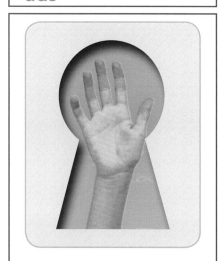

eine
die Hand

ein
das Auge

eine
die Nase

ein
der Finger

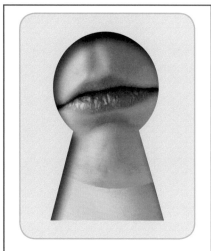

ein
der Mund

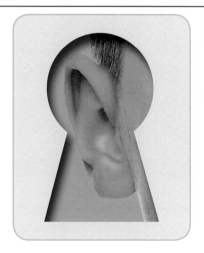

ein
das Ohr

Was ist das?

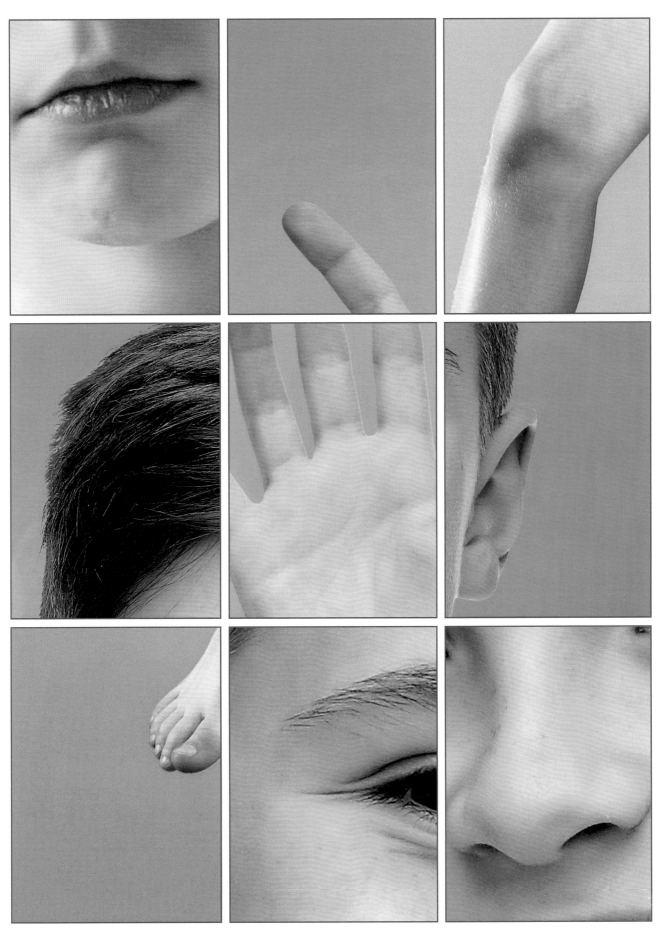

eine
die Mütze

eine
die Bluse

ein
der Schuh

eine
die Jacke

ein
der Rock

ein
das Kleid

eine
die Hose

ein
der Mantel

ein
das Hemd

Was ist das?

die Butter

die Wurst

ein der Kuchen

das Salz

ein das Ei

der Pfeffer

der Zucker

der Käse

ein das Brot

Was ist das?

eine
die   Ratte

ein
der   Kanarienvogel

ein
der   Hamster

ein
das   Kaninchen

ein
das   Pferd

ein
der   Fisch

ein
der   Papagei

eine
die   Schildkröte

eine
die   Maus

Was ist das?

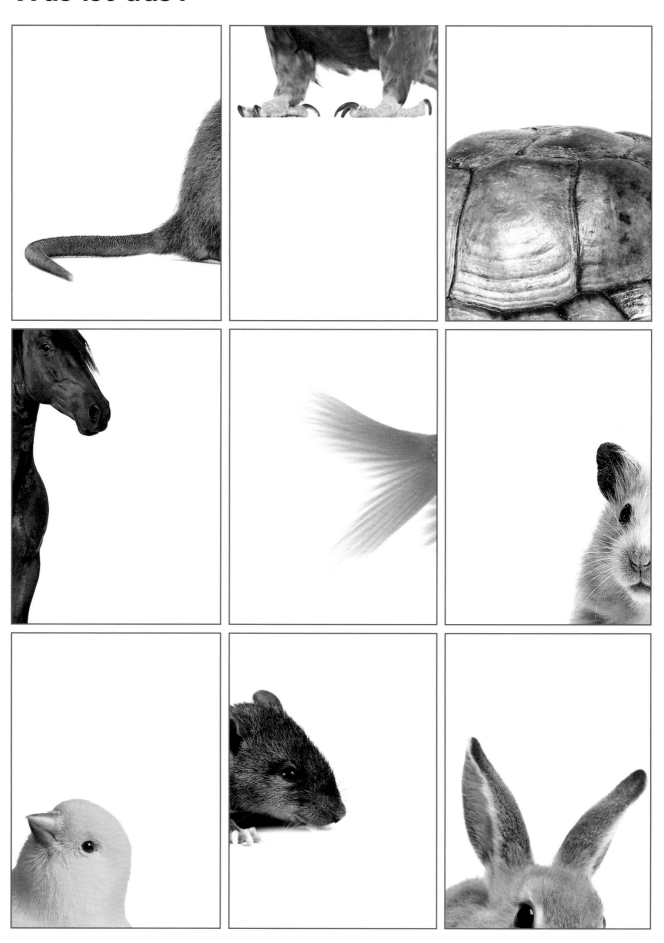

eine
die Robbe

ein
der Elefant

ein
der Eisbär

ein
das Zebra

ein
das Känguru

ein
der Löwe

ein
der Affe

ein
das Kamel

ein
der Tiger

Was ist das?

eine
die Orange

eine
die Karotte

eine
die Kartoffel

eine
die Tomate

eine
die Gurke

ein
der Paprika

eine
die Zwiebel

ein
der Lutscher

eine
die Marmelade

Was ist das?

Abbildungsverzeichnis

va; **55** (5) Frank Luerweg; **55** (6) Fotokon; **55** (7) Curly Courland; **55** (8) Kvitka Nastroyu; **58** (Bein) TRAIMAK; **58** (Mund) kravik93; **58** (Hand) Syda Productions; **58** (Kopf) Syda Productions; **59** (Hand) Syda Productions; **59** (Haare) Syda Productions; **59** (Ohr) Syda Productions; **59** (Bein) TRAIMAK; **59** (Mund) kravik93; **60** (Mütze) Stockforlife; **60** (Mantel) Magdalena Wielobob; **60** (Hose) somrak jendee; **60** (Kleid) Tarzhanova; **60** (Hemd) Hekla; **60** (Rock) Magdalena Wielobob; **60** (Jacke) Andrey Armyagov; **60** (Schuh) stable; **60** (Bluse) Mikhail Turov; **61** (Mütze) Stockforlife; **61** (Mantel) Magdalena Wielobob; **61** (Hose) somrak jendee; **61** (Kleid) Tarzhanova; **61** (Hemd) Hekla; **61** (Rock) Magdalena Wielobob; **61** (Jacke) Andrey Armyagov; **61** (Schuh) stable; **61** (Bluse) Mikhail Turov; **62** (Zucker) VadiCo; **62** (Salz) DUSAN ZIDAR; **62** (Butter) multiart; **62** (Brot) Ruslan Ivantsov; **62** (Kuchen) Unkas Photo; **62** (Käse) azure1; **62** (Ei) Coprid; **63** (Zucker) VadiCo; **63** (Pfeffer) DUSAN ZIDAR; **63** (Butter) multiart; **63** (Kuchen) Unkas Photo; **63** (Käse) azure1; **63** (Ei) Coprid; **63** (Brot) Tiger Images; **64** (Vogel) Eric Isselee; **64** (Schildkröte) fivespots; **64** (Maus) sikarin supphatada; **65** (Vogel) Eric Isselee; **65** (Schildkröte) fivespots; **65** (Maus) sikarin supphatada; **66** (Tiger) Eric Isselee; **66** (Zebra) Eric Isselee; **66** (Elefant) Jakub Krechowicz; **66** (Löwe) Eric Isselee; **66** (Robbe) Eric Isselee; **66** (Eisbär) Sergey Uryadniko; **66** (Känguru) Smileus; **67** (Tiger) Eric Isselee; **67** (Zebra) Eric Isselee; **67** (Elefant) Jakub Krechowicz; **67** (Löwe) Eric Isselee; **67** (Robbe) Eric Isselee; **67** (Eisbär) Sergey Uryadniko; **67** (Känguru) Smileus; **68** (Orange) CKP1001; **68** (Marmelade) AlenKadr; **68** (Gurke) Kyselova Inna; **68** (Tomate) Tim UR; **68** (Lutscher) Stephen Mcsweeny; **68** (Paprika) Alexandr Shevchenko; **68** (Zwiebel) Svetlana Bayanova; **68** (Kartoffel) OlegSam; **68** (Karotte) Valentina Razumova; **69** (Orange) CKP1001; **69** (Marmelade) AlenKadr; **69** (Gurke) Kyselova Inna; **69** (Tomate) Tim UR; **69** (Lutscher) Stephen Mcsweeny; **69** (Paprika) Alexandr Shevchenko; **69** (Zwiebel) Bayanova Svetlana; **69** (Kartoffel) OlegSam; **69** (Karotte) Valentina Razumova

Liedtexte: 4, 7, 11, 15, 23, 31, 35, 39 PWN, Komponist: Grzegorz Kopala / Text: Marta Kozubska, Ewa Krawczyk, Lucyna Zastapiło; **19** anonym aus Thüringen, Lieder und Bewegungsspiele, Gutenberg Verlag; **43** Kinderreim, Autor unbekannt **55** Text: Ernst Anschütz, Musikalisches Schulgesangbuch 1824

Cover: Shutterstock/Pressmaster – Lidia Głażewska-Dańko, Józefów